KB103563

반달,
디카 동시에 물들다

글, 사진 (사)한국반달문화원 전북지회 (김형미 외 24인)

 (사)한국반달문화원 전북지회

반달, 디카 동시에 물들다

발 행 | 2023년 12월 28일
저 자 | (사)한국반달문화원 전북지회 (김형미 외 24인)
펴낸이 | 한건희
펴낸곳 | 주식회사 부크크
출판사등록 | 2014.07.15.(제2014-16호)
주 소 | 서울특별시 금천구 가산디지털1로 119 SK트윈타워 A동 305호
전 화 | 1670-8316
이메일 | info@bookk.co.kr

ISBN | 979-11-410-6116-6

www.bookk.co.kr

반달,
디카 동시에 물들다

글, 사진 (사)한국반달문화원 전북지회 (김형미 외 24인)

 (사)한국반달문화원 전북지회

반달,
디카 동시에 물들다

차
례

반달, 디카 동시에 물들다

제 2부 반달문화원을 소개합니다

(사)한국반달문화원 전북지회 소개

발간사

우리는 반달인입니다.
살면서 많은 사람들을 만나고 그 중에서 그냥 스쳐 지나간 사람도, 인연이 된 사람도 있습니다.
반달문화원이 그렇습니다. 개인과 개인이 만나 인연으로 이어져서 반달이라는 별이 되었습니다.

우리는 반달인이라서 행복합니다! 행복을 노래하는 반달인의 모습을 동시 속에서 표현해보고 싶었습니다.

누구나 마음속에 소리를 담고 살지만, 마음의 벽이 두꺼워 밖으로 끄집어낸다는 것은 쉽지 않습니다. 마음의 소리를 글로 표현한다면 딱딱한 마음이 더 말랑말랑, 보들보들해지지 않을까요? 많이 쓰면 쓸수록 노래가 되어 졸졸졸 흘러나오지 않을까요? 반달로 인연을 맺은 사람들이 소리를 내보기로 했습니다.

동시를 쓰기 위해서 요리조리 둘러보며 소재를 찾고, 수시로 사진을 찍으며, 주위를 둘러보았습니다. 스스로 소리를 만들어내는 과정을 함께 하며 하나가 되는 기쁨을 맛볼 수 있었습니다.
혼자가 아닌 함께였기에 매순간 감동하고 행복할 수 있었습니다.

디카 동시집 『반달, 디카동시에 물들다』를 통해 사랑과 즐거움을 느끼는 마음 여행 하시길 바래봅니다.

2023년 12월
사단법인 한국반달문화원
전북지회장 김형미

축 사

전북동시문학회장 박예분
스토리창작지원센터 대표

　사)한국반달문화원 전북지회 회원들의 디카 동시집 발간
을 축하합니다.

　동화구연, 전통놀이, 인형극 등을 통해 어린이들을 만나고
동심의 세계에 푹 빠져 사는 회원들이 발간한 디카 동시집
『반달, 디카 동시에 물들다』를 맛보았습니다. 다양한 감각들
이 꿈틀거리며 마음을 끌어당기는 영상은 생동감이 넘치고
거기에 동시의 옷을 입혀 시적인 감흥을 자아냈습니다. 잘
여문 옥수수처럼 단단하고 알찬 디카 동시집은 어린이들과
즐겁게 만날 날을 상상하며 기대와 설렘으로 다가갈 것입니다.

　4차 산업혁명의 발전으로 우리 삶의 양식이 '디지털화,
스마트화, 연결화'로 바뀌고 있습니다. 스마트폰은 이러한
기능을 모두 갖추고 있습니다. 사람들은 디지털카메라에 수
없이 많은 장면을 담고, 그것을 SNS에 올려서 다른 이들과
공유하고 공감하며 소통합니다.

디카시는 자연이나 사물에서 시적 형상을 포착하여 찍은 영상과 함께 문자로 표현한 시입니다. 영상과 문자를 하나의 텍스트로 결합한 멀티 언어예술로써 실시간으로 소통하는 디지털 시대의 새로운 문학 장르입니다. 이에 한국반달문화원 전북지회 회원들은 디지털카메라로 순간 포착한 이미지에 새로운 시적 의미를 부여하여 디카동시를 썼습니다.

그동안 일반적인 종이책을 읽었다면, 이젠 디지털로 변환된 e북 형태의 전자책 시대를 살아가고 있습니다. 예전과 전혀 다른 생활 방식은 우리 삶에 많은 변화를 가져오고 있습니다. 반달문화원 전북지회 회원들은 시대의 흐름에 부응하며 디카 동시집을 발간했습니다. 디카 동시가 어린이들과 즐겁게 데굴데굴 뒹굴며 건강하게 성장하기를 기대합니다.

다시 한번 디카동시집 『반달, 디카동시에 물들다』 발간을 축하합니다.

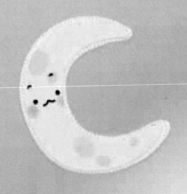

제1부. 디카 동시

아빠랑 걸으면

김형미 (사) 한국반달문화원 전북지회장

아빠 손잡고 함께 걸으면
가파른 계단도 무섭지 않아

한 발짝
두 발짝 맞춰 걸으며

쓩-슈웅
신나게 뛰어갈 수 있어.

김형미
디카 동시는 사진 속에서 지나온 길을 돌아보고,
가야 할 길을 찾아보는 상상 이야기다.

가족은

김형미

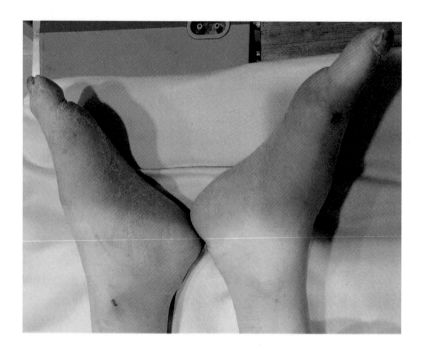

떨어져 있거나
함께 있거나
바쁘게 일할 때도

한 몸처럼
서로 생각하는 것

친구

김형미

무겁지만 같이 드니까 가볍다
나
너
우리

반숙

김형미

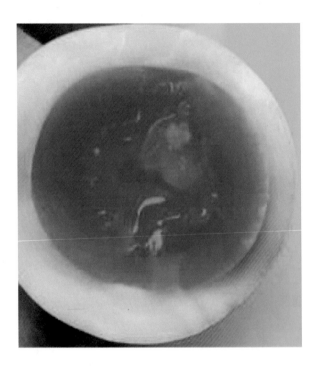

덜 익은 게
천천히
익어가는
우리 사이 같다

우리 함께

김형미

앞이 보이지 않아도
함께니까 잘 할 수 있어

으쌰으쌰!
같이 힘내자.

짝

권 옥ㅣ (사)한국반달문화원전북지회제1,2대회장

서로 달라도
우린 짝이야

난 왼쪽
넌 오른쪽
잃어버린 짝을 찾는

권 옥

디카 동시는 심심할 때 쓰는 재밌는 안경이다.
사진 한 장을 있는 그대로 보지 않고
상상의 눈으로 보면 신기한 이야기가 펼쳐진다.

축제

권 옥

허리를 돌리며
훌라훌라 훌라
춤추는 소나무

뭐하게?

권 옥

물구나무서기

아니야,

거꾸로 생각하는 중이야.

웃음

장영옥| (사)한국반달문화원전북지회제3대회장

할머니가
웃는다

할머니 주름도
웃는다

장영옥
웃음을 주는 디카 동시를 쓰면서
할머니의 주름 속에서도~
창문 넘어 속에서도~ 행복했다.

열려라 창문

장영옥

바깥 세상은
안이 궁금해

안은
바깥세상이 궁금해

숨바꼭질

김선희| (사)한국반달문화원전북지회제4대회장

초록 옷 입고
호박잎 사이로 대롱대롱

호박꽃 아래 꼭꼭 숨었지
날 찾아봐

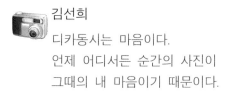

김선희
디카동시는 마음이다.
언제 어디서든 순간의 사진이
그때의 내 마음이기 때문이다.

키다리 나무

김선희

와~
길쭉길쭉 끝이 보이지 않네
넌 뭘 먹고 키가 크니?
어디까지 갈 거니?

이유는 없어

박경희| (사)한국반달문화원전북지회제5대회장

나무야, 나무야,
넌, 왜 그렇게 몸을 비트니?

그냥
이렇게 해보고 싶었어.

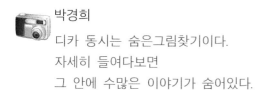

박경희
디카 동시는 숨은그림찾기이다.
자세히 들여다보면
그 안에 수많은 이야기가 숨어있다.

우리

박경희

모양과 색깔이
다르지만

나, 너

우리라는 이름으로
"파이팅!"

닮고 싶다

박경희

아무짝에도 쓸모없는
강아지똥

품에 꼬옥 안아준 너

해님처럼 따스한 너를
꼭 닮고 싶다

닮은 꼴

박경희

중2병 앓는 우리 형아
마음 꽉 닫고 산다

아무나 열어주지 않는
차단기 닮았다

벚꽃

한재숙| (사)한국반달문화원전북지회제6대회장

낮엔

사람들 마음 활짝 밝혀주고

밤엔

어둠을 밝히며 환히 웃고

한재숙

꽃을 보면 마냥 행복해진다.
문득 꽃들은 무슨 생각을 할지 궁금해졌
다.

별꽃 잔치

한재숙

초록잎 사이로

고개 내민 분홍분홍 별들

누가 더 방긋방긋 웃을까

함박웃음 짓는다

김장 담그는 날

한재숙

배추랑 양념이랑
새빨갛게 버무리듯

종알종알 이야기도
같이 버무렸다.

항아리

한재숙

바람도 담고
햇살도 담았다

궁금한 마음도
가득가득 담았다

끼리끼리

한재숙

샛노란 티셔츠
맞춰 입고 모였다

오늘은 어디 가서 놀지?
머리 맞대는 친구들

이파리 하트

주미래 (사)한국반달문화원전북지회제7대회장

둘이
손 잡고
마음을 모아요

주미라
디카 동시는 눈으로만 보던
사진 속에 많은 이야기를 품고 있다.
그 이야기를 끄집어내다.

누가 그렸을까?

주미라

바닷가 모래사장에
나무 그림
화가를 꿈꾸는 파도

달달한 여름

양현미 |(사)한국반달문화원전북지회제8대회장

쭉쭉 뻗은 나무들

휘휘휘- 휘파람 불며

땅을 박차고 슝! 뛰어 오른다

파란 하늘이 휘휘 저어 만든

하얀 솜사탕 맛보려고

 양현미
디카 동시는 혼자서도 놀 수 있는 놀이터다.
추억을 떠올리며, 엉뚱한 상상도 하고
재미있게 놀 수 있기 때문이다

도시 모내기

양현미

시골에서 모내기하던 날 생각나

할아버지랑 화분에 심었다

파릇파릇 잘 자라게 해달라고

나도 모르게 고개를 숙였다

그림자

양현미

나무 손 잡으려고
팔을 쭈~욱
폴짝 뛰어
몸을 한껏 늘린다
하나 둘 셋!

꼬마자동차

박연아 |(사)한국반달문화원전북지회 부회장

그동안 아이들 태워주느라 고생했다고
푹신한 풀밭에서 잠시 쉬라는 줄 알았다
풀잎과 매일 숨바꼭질하며 너무 많이 쉰 것같아
- 친구야 . 나랑 같이 놀자
나 이제 달리고 싶어

박연아
디카 동시는 나에게 힐링이다.
무심코 지나쳤던 주변을 세심히 관찰하게 되고,
무언가를 찾아보려고 노력하면서 강인한 생명도 찾고,
동심으로 돌아가 보기도 하면서 희망을 찾고,
자유롭고 밝았던 어린 시절의 나의 모습을
기억해 볼 수 있어서 정말 좋았다.

배추꽃

박연아

죽은 줄 알고
관심조차 안 됐는데

그 추운 겨울 이겨내고

노란 꽃 피웠다
따뜻한 봄이 왔다

좋은 사이

박연아

여의주 선물 줄께
나도
마음이 통한 우리는
친구

길

김혜숙

나무에도 길이 있다
큰길 작은 길 골목길
그 길에서
조잘조잘
초록 이야기꽃 피운다.

김혜숙
"가만히 보아야 이쁘다. 너도 이쁘다"
는 시인의 마음을 이해하게 되었다.

별꽃

김혜숙

하늘엔 별
땅에는 꽃
바라보기 만해도
가슴이 뛰는

밥상

김혜숙

우유 씨리얼 고구마 떡 사과는
내 밥상

후리지아는 날마다 물만 먹어도
예쁘다

아중 호수

박수경

초록 옷으로 뽐낸
앞산 거울이 되고

달과 별 품에 안고 토닥이는
엄마가 되고

박수경
디카 동시는 나에게 소확행이다.
무심코 지나쳤던 풀 한 포기와 꽃 한 송이가 주는
행복을 느낄 수 있기 때문이다.

달맞이꽃

박수경

꽃말이 기쁜 소식이래

반가운 소식
달님에게 얼른 들려주고 싶어
낮부터 달님을 마중 나왔대

우리 엄마

박수경

언 땅에 조화 심어놓고
봄 기다리는 우리 엄마
활짝 핀 벚꽃 터널
손 꼭 잡고
봄나들이 가고 싶다

들녘

박수경

참새 허수아비도 없는 들녘
황금빛으로 물들이며
올해도 풍년을 기원한다

버스 정류장

박수경

아침에는
힘내라고 응원해주고

저녁에는
수고했다고 쉬어가란다.

토네이도 구름

박정순

길쭉하게 뻗은 새하얀 구름
푸른 하늘에 닿았다
토네이도처럼 높이 솟아

뭉게구름보다 신비롭게 변화무쌍
마음 설레게 한다.

박정순
디카 동시에는 마음이 고스란히 전해진다.
주변을 넓게 관찰하고 사진을 찍고
디카 동시를 써보았다.

거미줄

박정순

하루살이들
멋진 집 발견하고 쏙 들어가다

엇, 움직일 수 없다

cctv 설치한 거미
- 어떡해, 너희들 지뢰밭 밟았구나.

코로나 확진

박정순

띠리링 식사 준비
띠리링 식사 끝

갇힌 공간 숨이 막혀

세상 밖으로 터졌다 팡팡
너도나도 방긋방긋

대화

박정순

강아지가 뼈다귀를 맛있게 먹더라

며칠 동안 굶었나봐

집을 잃어버린 걸까

우리 같이 살자

호기심

박정순

달려도 날아도 발이 시려워

우리, 타볼까?

쌩쌩, 어디든지 갈 수 있나 봐.

여행

방형남

바람아, 도와줘~~
씨앗품은 하얀 민들레

산들바람 타고
두둥실 두둥실 여행 떠난다

방형남
디카 동시는
생각을 반짝반짝 빛나게 하였다.
이러한 경험은 생각하는 힘을 길러 주었다.

자작나무

방형남

하얀 너의 살결
참 매끄럽다

까만 너의 눈동자
사랑스럽다

엄마 나무

방형남

노랑노랑 꽃으로
즐거움 주고
빨강빨강 열매로
건강 챙겨주는
고마운 나무

빗방울

방형남

대롱대롱 매달린
빗방울

우리 엄마
귀걸이 같다.

너의 길

방형남

끝없이
이어지는 길

함께 가면
멀리 갈 수 있다.

벗꽃

소유정

바람에 살랑살랑
흩날리는 벚꽃,
짧은 순간,
화려하게 빛나는 너
내 마음 춤추게 한다

 소유정
디카 동시는
나를 비추는 거울이다.
나의 모든 삶이 그 속에 들어 있다.

너를 보며

소유정

가시 많은 선인장 꽃 피우듯
우리도 기다리면 꽃이 되겠지

긴 기다림을 견딘 너의 향기처럼
활짝 웃는 친구 얼굴 고스란히 전해져
나도 웃는다, 우리 행복하자고.

민들레 가족

소유정

옹기종기 모여 사는 게
우리 가족 닮았다
길쭉이 뚱뚱이 날씬이
각각 서 있는 방향 달라도
우리는 하나

우수상

소유정

얼마나 아팠니?
우리가 지나갈 때마다
쿵쾅쿵쾅 또각또각

너에게 상을 줄게
우수상!

인사

소유정

빼꼼 고개 내밀고
수줍게 인사한다

안녕?
나도 손 흔들어주었다.

심돌이

소윤채(초4)

남고사에 사는 심돌이
해가 뜨나 비가 오나
남고산성 길 안내한다.

멀찌감치 서서
얼른 오라며 기다린다.

소윤채

디카 동시는 기쁨이다.
어떻게 쓸까? 생각하다가 번뜩 생각나는 것이 있어
쓰는 기쁨을 감출 수 없다.

민들레

소윤채(초4)

한 몸에서 피었지만
모습은 제각각

각자 다른 처지
서로 생각해 보면 어떨까?

더 좋은 일이 생길 거야.

가짜꽃

소윤채(초4)

우와, 예쁘다!

멀리서 보고 다가가니 가짜꽃이다

화려함 속에 감춰진 가짜

진짜꽃이면 얼마나 좋을까?

꽃밭

소윤채(초4)

작고 작은 꽃들
옹기종기 모여 앉아
오순도순 도란도란
이야기꽃 피운다

연꽃

소윤채(초4)

기다림 끝에
드디어
꽃을 피우는 순간
너무너무 행복하다.

쉴 곳이 필요해

송경자

따뜻하다
야~옹

졸린다
야~옹

송경자
디카 동시는
세 살 아이의 궁금증과 호기심이다.
보고 또 보고 가던 길도 뒤돌아본다.

이슬꽃

송경자

개망초처럼
꽃 피우고 싶어
동글동글
이슬꽃 피웠지

벽화

송경자

할아버지 할머니 떠올라

우리 가족

마주 보며 웃는다

준비 운동

송경자

새순 움트기 전

더 많은 열매

주렁주렁 맺으라고

겨우내

균형 잡기 운동 중

충전

송경자

휴식이 필요해

나, 너

나무뿌리도

길게 숨을 내쉬는 거야.

엄마의 눈

심금옥

아가들아
마음껏 달려보렴.
먹이도 찾아보렴
엄마는 뒤따르며
지켜 줄게.

심금옥
디카 동시를 알게 된 날부터
세 살배기 아이처럼 보이는 사물들에게
호기심이 생겼다

수선화

심금옥

쓸쓸한 낙엽 더미 무심히 지나
네 모습 아련히
눈길 머무네

함박웃음 가득 어머니 얼굴
네 얼굴 위 그득 차 보이네

물 속의 나무에게

심금옥

외톨이라서
가지를 더 많이 뻗었구나

땅 위
친구들이랑 가지손 잡고
숲이 되려고 뻗었구나.

평등

심금옥

작은 곳이나
넓은 곳이나
똑같이 내리는 비
똑같은 목마름

바람 타고 솔솔

심금옥

친구 엄마가
쉰둥이 낳았다고 수군수군

단풍나무가
늦둥이 낳았다고 소곤소곤

이 길은

이미라

숨 길
쉼 길

그리움이 묻어나는 길

마음이 따뜻해지는 길
감사한 길

이미라
디카 동시는 예술이다.
나에게 창작의 기쁨을 주는 개인 예술이다

나무야

이미라

허리 아프지 않니?

더운 날, 더 크고 더 넓은
그늘을 만들어 주려고

잎을 모아 모아
힘겹게 버티고 있구나

물안개

이미라

비 개인 오후
운암호 돌아 돌아

희뿌옇게 피어나는
물안개

아, 숨이 멎을 것 같아

겹수선화

이미라

비바람 분다 휘청휘청
하양이가
노랑이를
꼬옥 감싸 안는다

바람아, 그만 좀 가줄래?

한지붕 세 가족

이미라

마땅한 곳에 먼저 터 잡고
덜렁 벽 하나 세웠다
혼자 사는 할아버지 다가와 기대고
귀여운 붓꽃 가족 조잘조잘
웃음꽃 피운다

나의 길

이수은

자연의 향기가 머무는 길목, 어디로 갈까?

하얀나비 한 마리 나풀거리는 숲길로 따라가 볼까
숲이 깊어질수록 또렷이 들려오는
내 발자국소리

자연의 숨결이 느껴지는 아름다운 나의 길

이수은
디카 동시는 내 삶의 발자취이다.

작은 솔방울

이수은

톡! 머리 위에 떨어졌다.
톡! 발등에 떨어졌다.

한 발 떼는데 꺅! 솔방울 밟았다.
하마터면 데굴데굴 구를 뻔했다.

땡볕

이수은

쨍쨍, 찜질방에 온 것 같다

주르륵, 등에 흐르는 땀방울

해를 등지고 걷는다

집 나간 신발 한짝

이수은

잠깐만요!

제발 문 좀 열어주세요

문밖은 너무 심심해요

선물

이수은

책갈피 열어봐
너에게 꼭 주고 싶었어
행운의 네잎클로버!

친구의 마음을 받으며
나는 씨익 웃었다

쉼

이혜숙

종일
이곳 저곳 다니느라
얼마나 힘들었니?

잠깐
여기 앉아!

이혜숙

디카 동시는 설렘이다.
무심코 지나치다 되돌아와서 보고
마음이 들떠 두근거리는 설렘을 간직하게 된다.

조릿대

이혜숙

좁은 구멍 속에서
자라는 한 무리

좁다 불평하지 않고
푸르게 살아간다.

친구

이혜숙

모양은 서로 달라도
내 곁으로 온
넌, 나의 친구

소원탑

이혜숙

간절한 마음들
그 위에
다른 누군가의 마음 얹고
나도 살포시 얹는다.

발견

이혜숙

어!

나랑 똑같이 생겼네.

봄이 왔다

정명숙

새소리 물소리
산들바람
살갗 스치며

홍매화 수줍은 듯
벅찬 봄이 왔다

정명숙
관심있게 보면 세상이 아름다워진다.

풀

정명숙

꽃을 시샘하듯
하늘하늘

날 좀 보라고
살랑살랑

솜사탕

정명숙

조금만 더 가까이
더더더

배고파
너라도 먹자

호야꽃

정선주

사람들이 나보고
예쁘다, 예쁘다 칭찬한다

정말인지
거울에 비춰보는 호야꽃

난타나

조현

푸릇푸릇한 잎속에서
곱게 단장한 꽃잎이
쏘옥 쏘옥 쏘옥
일곱 빛깔 뽐내며
방긋방긋 웃네

구피네 집

조현

작은 어항 속에서
산소 방울 퐁퐁퐁
뻐끔뻐끔 숨 쉬며

즐거운 구피네

씀바귀 꽃

최판순

꽃 피었다
길가에 피어
내 손에 닿은 씀바귀꽃
활짝 핀 꽃 빨리 시들어질까 봐
바람에 마음이 흔들흔들

 최판순
디카 동시를 쓰며
사물을 관찰하게 되었다.

소나무 눈물

최판순

키 쑥쑥 자라
더 큰 나무 되라고
잔가지 잘라 주었다

소나무는 꾹 참고
눈물 줄줄

할미꽃

최판순

땅 속에서
올라오자마자
고개 숙인 꽃

땅이 좋아서
땅만 보는 꽃

소라껍질

최판순

달랑달랑 꿰어 만든
쭈꾸미 집

먼 바다 섬으로
자원봉사 가는 날

집집마다 만선이다

돌다리

최판순

대보름 아침 일찍 돌다리 건넌다
폴짝 폴짝

한 해 건강 빌며
나이 수만큼 따박 따박 건넌다.

너와 나

한미정

사는 집은 같아도
가는 길은 달라

난, 여기서 꽃 피우고
넌, 줄기 타고 높이 오르고

한미정
디카 동시는
바로 찍고 바로 쓸 수 있는 공감이다.
사랑과 감사의 동화시를 읽고 마음까지 젊어진다.

꽃의 마음

한미정

꽃이 전해달래
나도 너도
모두 꽃처럼 예쁘다고

항상 아름답게 우리 맘속에
활짝 피어있을 거래

감사 꽃

한미정

언제든 오면 볼 수 있는
선물 같은 꽃
항상 이 자리에 있어줘서 고마워
또 올게

화려한 나들이

한미정

싱그러운 오월

노랑꽃창포 팡팡팡

꽃망울 터졌다

여기 오면

한미정

발길 닿는 곳
눈길 가는 곳
마음 머무는 곳마다
긴 더듬이 알락하늘소
널, 볼 수 있어 좋다.

제2부 반달문화원을 소개합니다.

(사)한국반달문화원 소개

(사)한국반달문화원은 이 나라 어린이들의 꿈과 정서 순화를 위하여 주옥같은 동화, 동요, 동시를 엮어주신 故윤극영(1903~1988) 선생님의 고귀한 뜻을 기리고 전하며 동심의 세계에서 고운 마음을 나누기 위한 모임입니다.

(사)한국반달문화원 전북지회 소개

(사)한국반달문화원 전북지회는 2006년 설립 후 동화를 사랑하는 동화구연가들이 모여 세대 간에 소통하고 사랑을 실천하며 행복함을 느끼고 있습니다.
동화구연, 전통놀이, 인형극 등 동화와 관련한 다양한 활동을 통하여 전문지식과 역량을 높이고 매년 이야기 겨룸마당을 개최하여 꿈과 희망을 전하고 있습니다.

(사)한국반달문화원 전북지회 설립목적

1) 어린이를 사랑하고 이야기를 사랑하는 사람들의 모임으로 어린이 사랑 정신을 계승 발전시키기
2) 이 땅에 동심 문화를 장착시키기
3) 우의를 돈독히 하기
4) 아름다운 인간성 개발에 헌신하기

(사)한국반달문화원 전북지회 사업

- 전문 강사 파견
- 찾아가는 동화구연. 문화예술공연 교육기부
- 동화구연,한국전통놀이,동화미술,인형연극놀이,그림책창의교육 자격과정 운영
- 반달 이야기겨룸마당 (성인부/ 어린이부) 개최
- 지역 사회를 위한 봉사
- 매월 지도자 역량강화를 위한 강습회
- 기타 본회의 목적 달성에 필요한 사업
- 어린이의 발달단계에 맞는 자료와 프로그램 연구 개발

(사)한국반달문화원 전북지회 연혁

2006년 2월 - (사) 반달문화원 전북지부 설립
       5월 - 에보트 행사(미르 소아과) 진행
       9월 - 한마음 장애전담 어린이집 봉사활동 시작
       12월 - 정기총회 및 송년회
2007년 2월 - 반달회원 세미나
       6월 - 신입회원 특강
       6월 - 제1회 성인부, 어린이부 동화구연대회 개최
       9월 - 반달 야유회
       10월 - 에보트 행사(익산 소아과병원)진행
       12월 - 정기총회, 송년회
2008년 5월 - 제2회 성인부, 어린이부 동화구연대회 개최
       7월 - 반달 야유회 (1박2일)
       11월 - 정기총회
       12월 - 반달 송년의 밤
2009년 4월 - 한옥마을 동극공연
       5월 - 제3회 어린이부 동화구연대회 개최
       7월 - 반달 야유회 (1박2일)
       9월 - 한옥마을 동극공연
       11월 - 정기총회(3대회장 및 임원선출)
       12월 - 반달 가족축제
2010년 5월 - 반달 체육대회
       10월 - 제4회 어린이부 반달 동화구연대회 개최
       10월 - 제3회 성인부 반달 동화구연대회 개최
       11월 - 5기 신입회원 세미나
       12월 - 송년의 밤
2011년 7월 - 반달 야유회 (1박2일)
       8월 - (사)모악 문예주최 연극(동극)공연 및 체험
       10월 - 제5회 어린이부 반달 동화구연대회 개최
       10월 - 제4회 성인부 반달 동화구연대회 개최
       12월 - 정기총회(4대회장 및 임원선출), 송년의 밤
2012년 7월 - 반달 야유회 (1박2일) - 여산재
       10월 - 제6회 어린이부 반달 동화구연대회 개최
       10월 - 제5회 성인부 반달 동화구연대회 개최
       12월 - 송년의 밤
2013년 7월 - 반달 야유회 (1박2일) - 경천애인
       10월 - 제7회 어린이부 반달 이야기겨룸마당 개최
       10월 - 제6회 성인부 반달 이야기겨룸마당 개최
       12월 - 정기총회(5대회장 및 임원선출), 송년의 밤

2014년 1월 - 전북지부에서 전북지회로 승격
7월 - 반달 야유회 (1박2일) - 경천애인
10월 - 제8회 어린이부 반달 이야기겨룸마당 개최
10월 - 제7회 성인부 반달 이야기겨룸마당 개최
(도지사상, 시장상)
11월 - 정기총회
12월 - 송년의 밤거리
2015년 3월 - 언어교육활동 상반기 보수교육 (음운론)
3월 - 정읍 정다운요양병원 봉사활동 시작
3월 - 완주 햇빛지역아동센터 봉사활동 시작
4월 - 군산 대야초등학교 광산분교 봉사활동 시작
4월 - 전주시 평생학습관 동아리 지원 사업 선정
'역량강화'
8월 - 언어교육활동 하반기보수교육 (표준 국어문법)
11월 - 제8회 성인부 반달이야기겨룸마당 개최
(도지사상)
11월 - 정기총회 (6대회장 및 임원선출)
12월 - 가족과 함께하는 송년회
2016년 3월 - 남원 희망지역아동센터 봉사활동 시작
완주 용진지역아동센터 봉사활동 시작
4월 - 전주시 평생학습관 동아리지원사업 선정
(역량강화분야)
4월 - 전북대소아과병원 소아암병동 돌봄 교실
봉사활동 시작
4월 - 언어활동 상반기 보수교육 실시
7월 - 전북지회 10주년 기념 반달가족한마당
개최(경천애인)
1기 10년 근속 공로상패 수여
8월 - 언어활동보수교육 실시
10월 - 제11회 전주평생학습한마당 동화구연
체험부스 운영
10월 - 제9회 반달이야기겨룸마당 개최
(전북도지사상)
11월 - 정기총회(사업보고 및 회계보고)
12월 - 신입회원특강
2017년 3월 - 전주시 평생학습관 동아리지원사업 선정
(학습나눔형)
7월 - 반달가족한마당 1박2일 (완주군 경천애인)
9월 - 대한민국독서대전 독서문화한마당
체험부스 운영

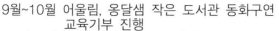

9월~10월 어울림, 옹달샘 작은 도서관 동화구연
　　　교육기부 진행
10월 - 제10회 성인부 반달이야기겨룸마당 개최제
　　　제9회 어린이부 반달이야기겨룸마당 개최
11월 - 12기 반달신입회원을 위한 신입회원 특강
12월 - 정기총회 (7대 주미라 회장 및 임원선출)
2018년 1월 - 신년회
　　　5월 - 언어활동 보수교육
　　　7월 - 반달 가족한마당 1박2일
　　　　　(고산 창포마을, 기부바자회)
　　　8월 - 언어스피치 보수교육
　　　9월 - 독서대전 독서 체험 부스 운영
　　10월 - 제11회 성인부 반달이야기겨룸마당 개최
　　　　　제10회 어린이부 반달이야기겨룸마당 개최
　　11월 - 신입회원 환영회
　　12월 - 정기총회, 송년회, 재능기부 및 물품기부
　　　　　(금선백련마을)
2019년 1월 - 신년회
　　　3월 - (사)한국반달문화원 정읍지부 설립
　　　　　(1대 회장 조해심)
　　　4월 - 언어스피치 보수교육
　　　6월 - 언어스피치 보수교육
　　　7월 - 반달 가족한마당 1박 2일
　　　　　(경천애인, 기부바자회)
　　　8월 - 언어스피치 보수교육
　　　8월 - (사)한국반달문화원 전국연수
　　　　　(대전 안산도서관)
　　11월 - 정기총회 (8대 회장 및 임원선출)
　　12월 - 송년회, 재능기부 및 물품기부
　　　　　(금선백련마을)
2020년 1월 - 신년회, 신입회원 환영회
　　　5월 - 인형연극놀이지도사 역량 강화
　　　6월 - 인형연극놀이지도사 역량 강화
　　　7월 - 근조기 제작
　　11월 - 인형연극놀이지도사 역량 강화
　　12월 - 온라인미디어 예술활동지원'아트체인지업'
　　　　　<이야기보따리 옛날옛날愛>
2021년 2~7월 - 인형연극놀이지도사 역량 강화(온라인)
　　　5월 - 신년회, 신입회원 환영회
　　　8월 - (사)한국반달문화원 전국반달세미나(온라인)

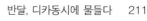

9월 - 선화학교(공립특수학교) 봉사활동 시작
10월 - 제12회 성인부 반달이야기겨룸마당
　　　온라인 개최
　　　제11회 어린이부 반달이야기겨룸마당
　　　온라인 개최
11월 - 정기총회
12월 - 송년회, 제 9대 회장 및 임원 선출
2022년 1월 - 신년회, 동화구연가 역량강화
2월 - 동화구연가 역량강화
　　　전주시립도서관 유아교육제 전담 수업 시작
3월 - 전주우림초등학교 전학년 동화구연수업시작
3월~6월 디카 동시 쓰기 강좌, 인형극단 창단
6월 - (사)한국반달문화원 전국반달 온라인 세미나
7월 - 반달 여름잔치
9월 - 전주선화학교(공립 특수학교) 봉사활동
　　　반달 디카 동시집 『반달, 동시에 물들다』 출간
　　　(사)한국반달문화원 전국반달세미나(대전)
10월 - 제13회 성인부 반달이야기겨룸마당 개최
　　　제12회 어린이부 반달이야기겨룸마당 개최
12월 - 정기총회, 송년회, 신입회원 환영회
2023년 1월 - 신년회, 17기 신입회원(2명) 활동 시작
2월 - 동화구연가 역량강화
　　　전주시립도서관 유아교육제 전담 수업 시작
3월 - 동화구연가 역량강화
　　　(전주시립도서관 유아교육제 준비)
　　　동시집 『나무가 알을 낳는다』출판기념회-권옥 작가
4월 - 디카 동시 쓰기 특강
5월 - 디카 동시 쓰기 특강, 연합문집 길잡이 특강
6월 - 야유회 (건지산 편백숲놀이터)
7월 - 디카 동시 쓰기 특강, 연합문집 길잡이 특강
　　　(사)한국반달문화원 전국 반달 세미나(광주지회)
8월 - 동화구연 교구제작
9월 - 동화클레이 특강, 디카동시 낭송회
10월 - 동시작가 3인 북토크, 우수독서동아리 경연대회,
　　　생태놀이, 전주시립동아리 연합문집 발간
11월 - 동화랑 종이접기 특강,
　　　정기총회(사업·회계보고 및 제 10대 회장 선출)
12월 - 송년회, 제 10대 임원단 선출
　　　반달 디카 동시집 『반달, 디카 동시에 물들다』출간

(사)한국반달문화원 전북지회 회원활동

교육문화회관, 공공도서관, 시립도서관, 작은 도서관, 방과후학교, YWCA여성인력개발센터, 문화센터, 평생교육센터, 문화의집, 복지관, 노인복지시설, 지역아동센터, 장애전담어린이집, 특수학교 장애인시설 외 다수활동

사)한국반달문화원 본회 및 지회, 지부현황

사)한국반달문화원 본회(서울)   사)한국반달문화원 전북지회
사)한국반달문화원 광주지회   사)한국반달문화원 대전지회
사)한국반달문화원 김천지부   사)한국반달문화원 상주지부
사)한국반달문화원 광양지부   사)한국반달문화원 의정부지부
사)한국반달문화원 포항지부